Prévenir et régler
les problèmes de discipline

Mark Boynton et Christine Boynton

Adaptation : Mylène Mercier

Traduction : Édith Cordeau-Giard

CHENELIÈRE
ÉDUCATION

Prévenir et régler les problèmes de discipline

Traduction et adaptation de : *The Educator's Guide to Preventing and Solving Discipline Problems* de Mark Boynton et Christine Boynton © 2005 by the Association for Supervision and Curriculum Development (ASCD) (ISBN 1-4166-0237-2)

© 2009, Chenelière Éducation inc.

Édition : Marie-Hélène Ferland
Coordination : Marie-Ève Bergeron-Gaudin
Révision linguistique : Sylvie Bernard
Correction d'épreuves : Lucie Lefebvre
Conception graphique et infographie : Fenêtre sur cour
Conception de la couverture : Rachel Monnier
Illustration de la couverture : Sigurd Becroos / Stock.XCHNG

Catalogage avant publication de Bibliothèque et Archives nationales du Québec et Bibliothèque et Archives Canada

Boynton, Mark, 1947-

Prévenir et régler les problèmes de discipline

(Chenelière/Didactique. Gestion de classe)

Traduction de : The educator's guide to preventing and solving discipline problems.

Comprend des réf. bibliogr. et un index.

ISBN 978-2-7650-2524-5

1. Discipline scolaire. 2. Classes (Éducation) – Conduite. 3. Enfants difficiles – Éducation. 4. Enfants difficiles – Modification du comportement. I. Boynton, Christine, 1947- . II. Mercier, Mylène. III. Titre. IV. Collection : Chenelière/Didactique. Gestion de classe.

LB3012.B6914 2009   371.5   C2009-940935-6

Nous reconnaissons l'aide financière du gouvernement du Canada par l'entremise du Programme d'aide au développement de l'industrie de l'édition (PADIÉ) pour nos activités d'édition.

Gouvernement du Québec – Programme de crédit d'impôt pour l'édition de livres – Gestion SODEC.

Chenelière Éducation est seul responsable de la traduction et de l'adaptation de cet ouvrage.

Dans cet ouvrage, le masculin est utilisé comme représentant des deux sexes, sans discrimination à l'égard des hommes et des femmes, et dans le seul but d'alléger le texte.

Au sujet des sites Internet proposés dans le présent ouvrage Tous les sites Internet présentés sont étroitement liés au contenu abordé. Après la parution de l'ouvrage, il pourrait cependant arriver que l'adresse ou le contenu de certains de ces sites soient modifiés par leur propriétaire, ou encore par d'autres personnes.

CHENELIÈRE
ÉDUCATION

5800, rue Saint-Denis, bureau 900
Montréal (Québec) H2S 3L5 Canada
Téléphone : 514 273-1066
Télécopieur : 514 276-0324 ou 1 800 814-0324
info@cheneliere.ca

ISBN 978-2-7650-2524-5

Dépôt légal : 2e trimestre 2009
Bibliothèque et Archives nationales du Québec
Bibliothèque et Archives Canada
Imprimé au Canada

2 3 4 5 6 M 22 21 20 19 18

Ce projet est financé en partie par le gouvernement du Canada

Canadä

Table des matières

Partie 1 — **Les éléments essentiels d'une gestion efficace des comportements des élèves**

Partie 2 — **La discipline à l'échelle de l'établissement**

Partie 3 — **Les stratégies clés en gestion des comportements**

Partie 4   L'élève ayant des difficultés comportementales

Introduction

Ce livre vise à vous aider à mettre sur pied des systèmes d'encadrement disciplinaire efficaces dans la classe et dans l'ensemble de l'établissement. Un système d'encadrement disciplinaire est un ensemble de politiques, composées de règles et de prodédures et mises en place au sein de l'école et de la classe afin de prévenir ou de gérer les comportements, ou encore afin de réduire certains comportements négatifs. Les systèmes d'encadrement disciplinaire de la classe et de l'école peuvent être les mêmes ou différer un peu quant aux règles et aux procédures, mais ils devraient tout de même être cohérents.

Ce livre se base sur la croyance que les systèmes d'encadrement les plus efficaces utilisent des stratégies proactives conçues pour prévenir les problèmes de discipline (les problèmes quant au respect des règles), plutôt que des stratégies visant à régler les problèmes existants. Puisque nous savons que la prévention ne fonctionne pas toujours, ce livre présente également des stratégies à appliquer quand les approches préventives ne suffisent pas.

Ce livre est aussi fondé sur la croyance que la discipline en classe et dans l'établissement est l'un des facteurs ayant le plus d'influence sur le moral du personnel, la satisfaction au travail et le climat du milieu. D'après Zehm et Kottler (1993), les problèmes de discipline représentent le principal motif de plaintes des enseignants au regard de leur travail. Marzano (2003) affirme que le public juge l'efficacité d'une école d'après sa gestion des comportements des élèves. Celle-ci est reliée aux attentes des enseignants quant aux comportements acceptables et aux conséquences imposées si les règles ne sont pas respectées. Elle s'inscrit dans la gestion de classe. Rien n'influe plus sur la réputation d'un établissement que le degré de discipline qui règne dans les classes et dans l'école en général. Aucun membre du personnel ne veut travailler dans une classe ou un établissement chaotique ou hors de contrôle. D'excellents enseignants exigent d'être transférés de ces établissements. Quant aux parents, ils tentent d'en retirer leurs enfants. Il s'ensuit alors un cercle vicieux : départ des enseignants, plaintes des parents et résultats scolaires en baisse.

Les élèves se comporteront de manière adéquate lorsque chaque membre du personnel nourrira des attentes liées aux comportements appropriés, lorsque des systèmes d'encadrement disciplinaires efficaces seront en place, quand les règles et les procédures en vigueur seront enseignées aux élèves et quand ces derniers seront considérés comme responsables de leurs actes.

Concevoir et maintenir une bonne discipline dans la classe et dans l'ensemble de l'établissement nécessite de gros efforts. Pour y arriver, le personnel doit comprendre, accepter et appliquer certaines approches et certains éléments importants de la gestion du comportement des élèves. Les membres du personnel doivent croire que le développement de relations positives avec les élèves constitue une étape essentielle vers l'établissement d'un environnement structuré et ordonné dans la classe et dans l'ensemble de l'établissement, puisque les élèves s'efforceront de faire plaisir aux adultes qui leur manifestent du respect et de l'intérêt. En sachant que les élèves apprennent ce qui leur est enseigné, et non ce qui leur est dit, les enseignants doivent enseigner de façon explicite leurs attentes quant aux comportements attendus comme pour toute autre matière du programme d'enseignement. Il est aussi essentiel que les enseignants connaissent une variété de conséquences immédiates, significatives, diversifiées et faciles à appliquer pour les élèves qui ne respectent pas les règles et les procédures du système d'encadrement disciplinaire. *Conséquence* est le terme utilisé pour parler des sanctions imposées s'il y a non-respect des règles prévues au système d'encadrement disciplinaire de l'école ou de la classe. Finalement, les gestionnaires et les parents doivent soutenir les enseignants lorsque ces derniers attribuent aux élèves la responsabilité de leurs comportements.

Le but de ce livre est de présenter clairement des stratégies de gestion des comportements applicables dans la classe et dans l'établissement, qui peuvent être utilisées dès maintenant par tout enseignant ou tout établissement. En premier lieu, les éléments importants d'une gestion efficace des comportements des élèves seront énoncés et des techniques générales seront proposées aux enseignants. En second lieu, des méthodes et des philosophies d'encadrement disciplinaire seront présentées pour l'ensemble de l'établissement.

Les stratégies contenues dans ce livre s'appliquent à tous les élèves, mais elles visent plus particulièrement les « enfants influençables ». Les enfants influençables, qui représentent 15 % de tous les élèves, sont ceux dont le comportement est considérablement influencé par les règles et procédures du système d'encadrement disciplinaire établies dans une classe ou un établissement. Curwin et Mendler (1988) font référence à la règle 80-15-5 observable dans les classes : 80 % des élèves suivent toujours les règles, 15 % enfreignent occasionnellement les règles, et 5 % enfreignent souvent les règles. Les 15 % des élèves qui enfreignent parfois les règles constituent les enfants influençables. Ces élèves peuvent adopter le meilleur comportement ou le pire. Ce sont les élèves qui se comportent bien dans une classe et qui dérangent dans une autre, selon le style et les attentes de l'enseignant. Leurs comportements sont flexibles et reflètent les actions et les réactions de leurs enseignants. Notre but est d'agrandir le répertoire d'actions positives des enseignants afin qu'ils influencent les comportements de ces élèves et, par conséquent, qu'ils fassent une différence positive dans leur environnement de classe.

Même si les concepts présentés dans ce livre s'appliquent à tous les élèves de tous les âges, nous constatons qu'il existe des différences sur le plan du développement parmi les élèves du primaire et du secondaire. Les membres du personnel doivent tenir compte de ces différences, puisqu'elles indiquent la meilleure utilisation des principes et des stratégies selon les diverses situations et les différents âges.

Des stratégies conçues pour les élèves qui ont des difficultés comportementales, comme les intimidateurs et ceux qui ont du mal à gérer leur colère, ou encore les élèves présentant un TOP (trouble oppositionnel avec provocation) ou un TDAH (trouble déficitaire de l'attention avec hyperactivité), sont présentées dans la dernière partie du livre. Ceux-ci représentent les 5 % des élèves auxquels font référence Curwin et Mendler dans leur règle 80-15-5. Ce groupe d'élèves a besoin de stratégies et de plans d'intervention plus approfondis que ceux normalement utilisés avec les enfants influençables. Bien que les techniques de cette dernière partie soient recommandées pour les élèves en difficulté, elles peuvent s'appliquer à tous les élèves. Cette partie traite aussi des manières de réagir aux perturbations en classe et de gérer les manquements majeurs aux règles.

Des questions de réflexion permettant de consolider la compréhension des principaux concepts sont présentées à la fin de chaque partie. Ces questions peuvent être utilisées aux fins d'une réflexion individuelle ou comme points de discussion entre les membres du personnel au cours de rencontres visant à réévaluer les systèmes d'encadrement disciplinaire.

Les éléments essentiels d'une gestion efficace des comportements des élèves

Partie 1

Comment un enseignant, plus particulièrement un nouvel enseignant, peut-il instaurer un climat excitant et stimulant, tout en maintenant une discipline efficace en classe? Une bonne gestion des comportements des élèves est essentielle à chaque enseignant. Cela permet non seulement de créer un climat positif, mais aussi d'influer sur l'apprentissage des élèves.

Dans une étude de 11 000 documents de recherche s'étendant sur 50 ans, Wang, Haertel et Walberg (1993-1994) ont déterminé 28 facteurs influant sur l'apprentissage des élèves, le plus important étant la gestion des comportements.

Heureusement, les enseignants peuvent apprendre à mieux gérer les comportements des élèves. Nous croyons qu'il existe quatre éléments qui, lorsque employés correctement, sont essentiels à l'établissement d'un système d'encadrement disciplinaire efficace en classe: des relations élèves-enseignants positives, des attentes clairement définies quant aux comportements acceptables, de bonnes habiletés d'encadrement et des conséquences significatives. (Un cinquième élément important n'est pas abordé dans ce livre: un enseignement dynamique et riche en contenu.) À l'aide d'un diagramme, nous avons illustré la relation que nous considérons comme idéale entre ces quatre éléments liés à la discipline en classe. Les pourcentages de ce diagramme se basent sur le modèle conçu par French et Raven (1960), dans lequel sont présentées les cinq sources du pouvoir utilisées par les enseignants pour influencer les élèves: le pouvoir de référence, le pouvoir de coercition, le pouvoir légitime, le pouvoir d'expert et le pouvoir de récompense.

Le pouvoir de référence, sans doute le plus déterminant, se base sur l'intérêt que porte l'élève à l'enseignant. Le pouvoir de coercition est le pouvoir que possède l'enseignant aux yeux de l'élève, en raison de sa capacité à imposer des sanctions. Le pouvoir légitime découle de la position d'autorité de l'enseignant par rapport aux élèves. Le pouvoir d'expert est le pouvoir qu'a un enseignant en raison de ses connaissances particulières quant au contenu du programme d'enseignement et aux stratégies de gestion des comportements des élèves. Le pouvoir de récompense est celui que les élèves attribuent à l'enseignant, puisque celui-ci peut leur donner ou leur enlever une récompense à la suite de leurs comportements (Tauber, 1999).

French et Raven (1960) affirment que ces cinq sources sont utilisées par les enseignants pour exercer leur pouvoir vis-à-vis des élèves, comme elles le sont aussi à l'intérieur d'autres relations sociales. Tauber (1999) dit que, selon leur système de croyances personnelles, les enseignants adaptent ces sources de pouvoir lors de leurs interactions avec les élèves. Il donne l'exemple d'une situation dans laquelle la pratique et le système de croyances d'un enseignant ont eu pour effet la répartition suivante : 20 % de pouvoir d'expert, 55 % de pouvoir de référence, 15 % de pouvoir légitime, 5 % de pouvoir de récompense et 5 % de pouvoir de coercition. Dans un deuxième exemple, un enseignant utilise 5 % de pouvoir d'expert, 5 % de pouvoir de référence, 10 % de pouvoir légitime, 45 % de pouvoir de récompense et 35 % de pouvoir de coercition.

Dans notre modèle, fondé sur notre conviction de l'importance des bonnes relations avec les élèves, nous proposons 40 % de pouvoir de référence (relations), 25 % de pouvoir légitime (attentes claires en ce qui a trait aux comportements acceptables), 25 % de pouvoir d'expert (habiletés d'encadrement) et 10 % de la combinaison des pouvoirs de coercition et de récompense (conséquences). La figure 1 illustre ce que nous croyons être la relation optimale entre ces sources de pouvoir, ce que nous appelons « les quatre éléments essentiels de la discipline en classe ».

Figure 1 ■ Les quatre éléments essentiels de la discipline en classe

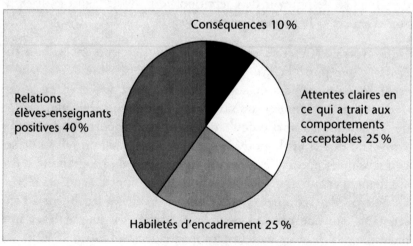

Conséquences 10 %

Relations élèves-enseignants positives 40 %

Attentes claires en ce qui a trait aux comportements acceptables 25 %

Habiletés d'encadrement 25 %

L'idéal est de concevoir un système d'encadrement disciplinaire orienté vers les trois éléments les plus importants – relations élèves-enseignants positives, attentes claires et habiletés d'encadrement – et de les intégrer de manière naturelle et astucieuse à votre programme d'enseignement afin que ces éléments soient au cœur de toute interaction avec vos élèves. Si ces éléments sont introduits efficacement, un observateur non formé aura du mal à les distinguer de votre enseignement en classe. Encore plus important, ces éléments représentent une excellente approche de prévention en matière de discipline et permettent de diminuer considérablement le recours aux conséquences ou aux sanctions.

Le quatrième élément est l'utilisation de conséquences à la suite d'un comportement inadéquat. Même l'enseignant le plus qualifié doit intégrer des conséquences bien définies et structurées à son système d'encadrement disciplinaire. Bien qu'elles soient nécessaires, les conséquences doivent être l'élément le moins exploité du système d'encadrement.

Les chapitres de cette partie sont axés sur des stratégies précises favorisant le développement des quatre éléments essentiels d'une gestion de classe efficace : les relations élèves-enseignants positives, les attentes bien définies en ce qui a trait aux comportements acceptables des élèves, les habiletés d'encadrement et les conséquences.

Chapitre 1

Développer des relations positives avec les élèves

Nous voulons tous nous sentir valorisés et appréciés par les personnes importantes de notre entourage. Les élèves ne sont pas différents. Reconnaître ce fait constitue un puissant outil à votre portée au moment où vous concevez votre système d'encadrement disciplinaire. Comme enseignant, vous exercez un grand pouvoir sur vos élèves, puisque vous influez sur leur vie jusqu'à un maximum de six heures et demie par jour, cinq jours par semaine. Quand les élèves se sentent appréciés et valorisés par vous, ils sont plus enclins à répondre à vos exigences.

Réfléchissez une minute. N'êtes-vous pas plus prompt à satisfaire aux exigences d'un patron qui vous valorise comme individu et qui vous manifeste de la dignité et du respect, plutôt qu'à répondre à celles d'un patron qui fait preuve d'un manque de respect? Quand votre patron s'intéresse à votre famille, vous donne du répit en cas d'urgence personnelle ou vous félicite pour le travail bien fait, ne développez-vous pas une certaine estime envers ce patron et ne souhaitez-vous pas faire de votre mieux pour le contenter? Les élèves ressentent la même chose. Donc, développer des relations positives avec eux est l'une des étapes les plus importantes permettant d'établir un climat positif en classe. Il est essentiel de se rappeler que traiter les élèves avec respect augmente les chances qu'ils vous apprécient. Et quand ils vous apprécient, ils sont plus portés à vous contenter; par conséquent, ils sont plus susceptibles de bien se comporter. Voilà pourquoi il est important de se le rappeler: lorsqu'il est question du comportement des élèves, ce qui les encourage à se conformer aux règles relève beaucoup plus de la relation que vous entretenez avec eux que des règles elles-mêmes.

Une revue des études révèle que les auteurs ont beaucoup à dire concernant des relations positives avec les élèves. Thompson (1998) affirme que la plus puissante arme disponible pour les enseignants du secondaire qui souhaitent instaurer un climat d'apprentissage favorable est une relation positive avec leurs élèves. Canter et Canter (1997) affirment que nous nous souvenons tous des cours dans lesquels nous fournissions de moins grands efforts parce que nous n'aimions pas nos enseignants. Cela doit nous rappeler l'importance d'entretenir des relations positives et solides avec nos élèves. Kohn (1996) pousse un peu plus loin en affirmant : les enfants sont plus susceptibles d'être respectueux quand les adultes importants dans leur vie les respectent. Ils ont plus tendance à se soucier des autres s'ils sentent qu'on se soucie d'eux. Marzano (2003) révèle que les élèves s'opposeront aux règles et aux procédures, de même qu'aux conséquences, si la base d'une bonne relation est manquante. Il poursuit en affirmant que les relations sont plus importantes au primaire et au premier cycle du secondaire qu'elles ne le sont au deuxième cycle du secondaire. D'après Zehm et Kottler (1993), les élèves ne nous feront jamais confiance et ne nous écouteront pas tant qu'ils ne sentiront pas que nous les apprécions et les respectons.

Comme le montre la figure 1 (*page 4*), les stratégies permettant de développer de bonnes relations élèves-enseignants devraient représenter la plus grande partie de votre système d'encadrement disciplinaire. Quelles stratégies pouvez-vous déployer pour développer des relations fructueuses avec vos élèves ? Les techniques suivantes sont faciles à intégrer dans vos interactions quotidiennes avec les élèves : communiquer des attentes positives, gérer le comportement des élèves de manière constructive, développer une fierté positive au sein du groupe, manifester de l'intérêt et, enfin, prévenir et réduire votre frustration ainsi que votre stress.

Communiquer des attentes positives

Les études portant sur les attentes des enseignants et le succès des élèves révèlent que les attentes ont des répercussions importantes sur le rendement scolaire des élèves (Kerman, Kimball et Martin,

1980). La performance comportementale d'un élève dépend également beaucoup des attentes des adultes importants dans sa vie. De nombreuses études indiquent que les attentes des enseignants envers les élèves ont tendance à subir l'effet Pygmalion. Il est donc très important pour les enseignants de surveiller leurs interactions en s'efforçant de communiquer adéquatement de hautes attentes scolaires et comportementales envers tous les élèves, pas seulement envers les plus doués.

Plusieurs techniques aident à atteindre cet objectif. Prêtez attention à la manière dont vous vous adressez aux élèves. Assurez-vous que les élèves ont des chances égales de participer. Essayez d'augmenter le délai entre le moment où vous posez une question à un élève et celui où vous répondez vous-même à la question, ou encore celui où vous demandez à un autre élève de répondre. Donnez des indices aux élèves pour leur permettre de mieux réussir en classe. Dites-leur directement que vous croyez qu'ils sont capables de réussir. Votre confiance en eux stimulera leur réussite.

Voyons plus en détail certaines de ces techniques visant à communiquer de hautes attentes et discutons des moyens de mettre en œuvre ces techniques dans votre classe.

Interpeller les élèves de manière équitable

Quand vous posez des questions aux élèves, vous devez vous rappeler plusieurs choses. D'abord, vous devez vous assurer que les possibilités de répondre des élèves sont égales. Souvent, les enseignants qui effectuent ce suivi constatent qu'ils s'adressent souvent à un petit nombre d'élèves et qu'ils donnent peu de chances – ou pas du tout – aux élèves envers lesquels ils nourrissent de faibles attentes. Quand vous ne donnez pas leur chance à certains élèves, vous pouvez leur communiquer un faible degré de confiance en leurs habiletés. Ces élèves pourraient se désintéresser du cours et penser que vous ne les croyez pas capables de répondre. Ce message est renforcé quand ces élèves voient les autres être constamment choisis pour répondre.

Songez à ce que vous penseriez si votre patron demandait toujours à d'autres enseignants de faire partie des comités ou de participer à des projets spéciaux. Comment vous sentiriez-vous si votre patron venait vous voir souvent afin d'obtenir de l'aide pour des projets scolaires ou de connaître votre opinion concernant les élèves qui ont des difficultés comportementales? Comme nous, les élèves développent une confiance en leurs habiletés quand l'enseignant leur pose une question. De plus, interroger tous les élèves de votre classe, plutôt que certains seulement, aidera les élèves à se concentrer sur leur tâche et réduira le nombre de problèmes de comportement.

Il est important d'être aux aguets pour vous assurer que vous offrez à vos élèves des chances égales de répondre. Mettre un crochet à côté des noms des élèves que vous avez interrogés pendant le cours constitue un excellent moyen de déterminer rapidement si vous êtes juste. Vous devez vous assurer de nommer les élèves qui réussissent moins bien aussi souvent que les plus doués. Cocher une simple liste de vérification au cours des discussions de groupe est une stratégie valable et facile à mettre en place.

Un exemple de liste de vérification pour gérer de manière équitable les chances de répondre

Sarah Morin : ✓✓

Zorinna Pavel : ✓

Noémie Régimbald : ✓✓✓

Amine Al Babeli : ✓

Loïk Mercier :

Chloé Charron-Duval : ✓✓✓

Dans l'encadré ci-dessus, vous voyez que Noémie et Chloé ont eu plus de chances de répondre. Cela peut être dû à la confiance qu'a l'enseignant envers ces élèves, au fait que ces élèves permettent la poursuite de la discussion ou au désir de l'enseignant de faire en sorte que les autres entendent les bonnes réponses. Cependant, cela peut pousser les autres élèves à croire que l'enseignant n'a pas confiance en eux et qu'il ne souhaite pas qu'ils participent, tout en augmentant leurs risques de distraction. Si vous étiez l'enseignant, vous devriez vous assurer de nommer tous les élèves avant la fin de la discussion pour rendre l'activité plus équitable.

Faites un effort pour nommer les élèves qui sont plutôt distraits ou qui réussissent moins bien, ce qui leur donne la chance de répondre et de participer en classe; observez ensuite ce qui se produit. Au fil du temps, vous remarquerez que ces élèves seront plus concentrés et que leur rendement scolaire s'améliorera! Ce changement ne survient pas du jour au lendemain, mais il se produira inévitablement, et ce sera très gratifiant!

Augmenter le temps d'attente quand des questions sont posées aux élèves

Augmenter le temps d'attente (Kerman et collab., 1980) représente une autre technique à utiliser pour communiquer des attentes positives aux élèves. Le temps d'attente est la période de temps qui s'écoule entre le moment où vous donnez à un élève la chance de répondre et celui où il termine sa réponse. Kerman et ses collègues (1980) expliquent que la période de temps octroyée aux élèves pour qu'ils émettent une réponse est directement liée à l'égard que nous leur portons. Nous donnons plus de temps aux élèves quand nous savons qu'ils sont en mesure de répondre. À l'inverse, nous donnons moins de temps aux élèves en qui nous avons moins confiance. Si nous renonçons rapidement quand un élève a du mal à fournir une réponse, il est évident pour tous que nous ne nous attendions pas à ce qu'il fournisse une bonne réponse. De plus, l'élève se rend compte qu'il n'a qu'à feindre la confusion ou à afficher un regard vide pour se défiler de nos questions. Quand nous laissons volontairement plus de temps aux élèves moins doués pour répondre, nous constatons qu'ils sont plus attentifs, qu'ils participent davantage aux discussions et que les problèmes de comportement diminuent. Vous pouvez demander à un collègue d'observer votre enseignement et de noter le temps d'attente octroyé à chaque élève, à partir du moment où vous posez la question, jusqu'à ce que vous passiez à un autre élève. Il est particulièrement intéressant de constater quels sont les élèves qui bénéficient d'un temps d'attente prolongé de votre part.

> **Un exemple de temps d'attente (en secondes)**
>
> Sarah Morin : 1, 3
> Zorinna Pavel :
> Noémie Régimbald : 5, 6, 8
> Amine Al Babeli : 1, 1
> Loïk Mercier :
> Chloé Charron-Duval : 8, 10, 8

Dans l'encadré ci-dessus, il est facile de voir que Noémie et Chloé obtiennent plus de temps que les autres élèves et ont, par conséquent, plus de chances de fournir une bonne réponse. Si cela se produisait dans votre classe, vous devriez vous assurer d'accorder, lors de prochaines discussions ou périodes de questions, de plus longs temps d'attente aux autres élèves.

Donner des indices aux élèves pour les aider à répondre aux questions

Vous communiquez aussi des attentes positives quand vous donnez des indices à vos élèves. Dans leurs études sur les attentes des enseignants, Kerman et ses collègues (1980) ont démontré que les enseignants expliquent plus en profondeur et reformulent davantage pour les élèves envers lesquels ils nourrissent des attentes plus élevées. Il est important de communiquer à tous les élèves notre confiance en leur réussite ; une manière d'y parvenir consiste à leur donner des indices, plus particulièrement aux élèves qui réussissent moins bien.

Songez à une période de lecture pendant laquelle un élève a du mal à prononcer un mot. Après avoir octroyé un temps d'attente raisonnable, l'enseignant peut dire : « Ça ressemble à *chat.* » Dans une classe de secondaire, un enseignant pourrait demander : « Quels événements importants ont mené à la signature du traité de Paris en 1763 ? » Après un temps d'attente approprié, il pourrait dire : « Songez à ce que nous avons appris concernant la guerre entre les Britanniques et les Français. »

Vous devez faire attention à certains éléments quand vous utilisez cette technique. Si vous fournissez trop d'indices, vous donnerez peut-être la réponse aux élèves. Aussi, après quelques indices, vous pourriez sans le vouloir demander au seul élève ne connaissant pas la réponse de répondre, ce qui le placerait dans une situation embarrassante. L'important est d'utiliser les indices avec tous les élèves afin de communiquer des attentes élevées au groupe entier. Cela favorise de bonnes relations élèves-enseignants.

Dire aux élèves qu'ils sont capables de réussir

Un autre moyen de communiquer des attentes positives aux élèves consiste à leur dire sans détour qu'ils sont en mesure de réussir. Quand vous dites aux élèves que vous savez qu'ils peuvent réussir un travail difficile ou améliorer leur comportement, vous leur transmettez un message très puissant. Les élèves travaillent souvent fort et se comportent adéquatement pour prouver que votre confiance en eux est justifiée. Chaque élève doit avoir dans son entourage au moins un adulte qui croit en lui. Idéalement, les jeunes devraient entendre de la bouche même de leurs parents que ceux-ci croient en eux, mais ce n'est malheureusement pas toujours le cas. Les enseignants ont le privilège de communiquer quotidiennement avec plusieurs élèves en lesquels ils croient. Quel cadeau que de pouvoir jouer le rôle de cet adulte significatif dans la vie d'un jeune, ne serait-ce que d'un seul!

Un enseignant qui utilise cette stratégie pourrait dire à un élève: «Emma, je sais que tu feras de ton mieux pour cet examen de mathématique. Tu as travaillé très fort pour te souvenir de laisser les traces de ta démarche quand tu dois résoudre des problèmes de mathématique, et je sais que tu feras la même chose pendant cet examen. Nous revérifierons cela ensemble plus tard.» Cette approche peut être adaptée à toute matière et à tout niveau scolaire. Encore une fois, cette méthode est à la fois une stratégie d'enseignement et une stratégie encourageant les bonnes relations avec les élèves.

Vous pouvez aussi manifester vos attentes positives aux élèves en faisant référence aux réussites du passé (Kerman et collab., 1980). Quand vous dites à un élève que vous savez qu'il se comportera de manière appropriée à la récréation, car il l'a fait la journée précédente, vous développez sa confiance et augmentez ses chances de réussite. Quand un élève affiche un comportement approprié ou un bon rendement scolaire dans une situation particulière, si vous lui dites que vous saviez qu'il en était capable (Kerman et collab., 1980), vous renforcez sa confiance en lui et vous jetez les bases d'un climat caractérisé par des attentes positives. Les élèves doivent savoir que leur enseignant les respecte et leur fait confiance. Utiliser ces diverses stratégies pour communiquer en tout temps vos attentes positives fera des miracles. Nous vous encourageons à mettre en pratique quelques-unes de ces stratégies dès maintenant afin d'améliorer vos relations avec les élèves et de transmettre des attentes élevées à chacun.

Gérer les comportements des élèves de manière constructive

Imposer des conséquences aux élèves en raison de comportements inappropriés est une tâche importante et nécessaire du travail de l'enseignant. Toutefois, cela ne doit pas être une tâche négative. En fait, vous pouvez développer une relation positive avec un élève tout en appliquant une conséquence. Si vous ne le croyez pas, songez un instant à vos anciens élèves qui sont revenus vous visiter. Ce sont souvent les élèves dont le comportement était plus problématique et avec lesquels vous avez passé beaucoup de temps qui reviennent vous rendre visite. Cela est dû aux relations positives établies entre vous.

Lorsque vous gérez les comportements des élèves, votre objectif est qu'ils réfléchissent à ce qu'ils ont fait, qu'ils soient désolés de vous avoir déçu et qu'ils fassent un meilleur choix à l'avenir. Ce n'est pas qu'ils quittent l'école en se disant : « Je déteste mon enseignant. Je ferai attention de ne pas me faire prendre la prochaine fois. » Les différentes réactions observées chez les élèves qui se font réprimander sont souvent liées à la manière dont les conséquences sont appliquées. Si vous préservez la dignité des élèves, vous augmentez les chances que cela se reflète sur leur comportement et qu'ils agissent mieux à l'avenir. Le processus de gestion des comportements sera inefficace si les élèves sont réprimandés d'une manière qui dénote l'amertume, le sarcasme, de faibles attentes ou le dégoût. L'objectif est d'imposer une conséquence rapide, juste et significative, tout en montrant à l'élève que vous vous souciez de lui et que vous le respectez.

Les étapes à suivre quand vous gérez les comportements d'un élève sont les suivantes :

1. Revoir ce qui s'est produit.

2. Cerner et accepter les sentiments de l'élève.

3. Prévoir des actes de rechange.

4. Expliquer les règles et les procédures en lien avec la situation.

5. Dire à l'élève que tous les élèves sont traités de la même manière.

6. Énoncer une conséquence immédiate et significative.

7. Dire à l'élève qu'on est déçu de devoir lui imposer une conséquence en raison de son geste.

8. Lui faire savoir qu'il doit mieux agir à l'avenir.

Imaginez qu'Étienne a injurié la mère de Jonathan et que Jonathan le frappe pour cette raison. Voici comment vous pourriez appliquer les conséquences prévues dans le système d'encadrement :

1. *Revoir ce qui s'est produit.* Discutez de l'incident avec Jonathan. Commencez par vérifier votre compréhension des faits pour vous assurer que l'élève mérite une conséquence. Imposer à tort une conséquence à un élève est le meilleur moyen de compromettre votre relation avec cet élève.

2. *Cerner et accepter les sentiments de l'élève.* Dites à Jonathan que vous comprenez qu'il soit bouleversé quand une personne insulte sa mère et que vous vous sentiriez comme lui si cela vous arrivait. Il faut comprendre que cette étape sert à préciser que vous comprenez et que vous respectez ses sentiments, mais que vous n'acceptez pas ses gestes.

3. *Prévoir des actes de rechange.* Voyez avec Jonathan les différents gestes qu'il aurait pu poser, comme ignorer la remarque d'Étienne ou la signaler à un enseignant.

4. *Expliquer les règles et les procédures en lien avec la situation.* Rappelez à Jonathan la règle interdisant la bataille et la conséquence prévue pour les gestes de violence. Pour une personne qui en frappe une autre, la conséquence peut être un renvoi au centre d'aide ou au bureau du directeur, et probablement une suspension de l'école.

5. *Dire à l'élève que tous les élèves sont traités de la même manière.* Assurez-vous que Jonathan comprend bien que tous les élèves doivent respecter les règles et que tout élève qui les enfreint aura à en subir les conséquences.

6. *Énoncer une conséquence immédiate et significative.* Expliquez aux personnes responsables les événements survenus et envoyez Jonathan au centre d'aide ou au bureau du directeur, selon ce qui est prévu au système d'encadrement disciplinaire de l'école ou de la classe.

7. *Dire à l'élève que vous êtes déçu de devoir lui imposer une conséquence en raison de son geste.* Dites à Jonathan que vous êtes ennuyé de voir que ses actions ont causé cette situation.

8. *Lui faire savoir qu'il doit mieux agir à l'avenir.* Rappelez à Jonathan que vous l'appréciez et que vous savez qu'il agira mieux à l'avenir, même si vous n'approuvez pas ses actions et que vous n'aimez pas imposer des conséquences aux élèves. Dites-lui aussi que vous êtes là pour lui et que vous l'aiderez à régler ses problèmes à l'avenir.

En plus de suivre ces étapes quand vous imposez une conséquence à un élève, il est important de garder en tête quelques préceptes éthiques importants. D'abord, souvenez-vous de réprimander l'élève en privé. Même s'il n'est pas toujours possible de retirer un élève de la classe, essayez d'empêcher le plus possible les autres de vous voir intervenir avec l'élève concerné. Une intervention en public peut encourager les sentiments de colère, d'embarras et d'amertume ; cela peut aussi devenir une attraction pour les autres. Quand vous appliquez une conséquence, demandez-vous : « Comment aimerais-je que mon enfant soit réprimandé dans une situation semblable ? » Répondre à cette question vous aidera à traiter l'enfant avec respect et attention. Finalement, demeurez calme et évitez la frustration. La pire chose à faire est d'imposer une conséquence quand vous êtes en colère ou bouleversé, car cela peut mener à des actions regrettables de votre part. Si nécessaire, donnez-vous le temps de reprendre vos esprits avant d'effectuer votre intervention. Les principaux préceptes éthiques à suivre au moment de sanctionner l'élève sont les suivants :

- Intervenir auprès de l'élève en privé
- Traiter l'élève comme on souhaiterait que le soit son propre enfant
- Demeurer calme
- Éviter la frustration

Il est aussi important de suivre certaines étapes à la suite d'une intervention auprès d'un élève. Ces étapes sont les suivantes :

1. Rester en contact avec l'élève.

2. Applaudir les réussites qui suivent l'application de la conséquence.

3. Ne pas abandonner trop rapidement.

Retournons à l'exemple de Jonathan qui, ayant frappé Étienne, a dû se rendre au bureau du directeur. Voici les mesures à prendre à la suite de l'événement :

1. *Rester en contact avec l'élève.* Effectuez un suivi auprès de Jonathan après l'application de la conséquence pour voir comment il se débrouille ou simplement pour établir une relation avec lui.

> **Conseil**
> *Souvenez-vous :* les élèves se rappelleront longtemps comment vous les avez fait se sentir et oublieront vite la conséquence obtenue à la suite de leurs actions.

2. *Applaudir les réussites suivant l'application de la conséquence.* La prochaine fois que Jonathan aura une altercation avec un autre élève et qu'il gérera mieux la situation, par exemple en verbalisant son mécontentement plutôt qu'en utilisant ses poings, assurez-vous d'applaudir son comportement et de le féliciter d'avoir fait le bon choix.

3. *Ne pas abandonner trop rapidement.* Finalement, n'oubliez pas que certains élèves répondent négativement à une attention positive. Le cas échéant, l'élève peut sembler ne pas vouloir susciter ce type d'attention. Cependant, un changement graduel sur le plan de l'image de soi de l'élève peut se produire. Quand les élèves sont habitués à s'attirer des ennuis et à commander une

attention négative, le cycle est plus long à briser. Souvent, ce n'est qu'une question de temps avant que l'élève commence à manifester les effets positifs d'une telle attention ; alors, n'abandonnez pas !

Développer une fierté positive au sein du groupe

La fierté peut s'avérer une force très puissante dans le développement de bonnes relations élèves-enseignants lorsqu'elle est exploitée efficacement (Kerman et collab., 1980). Dans plusieurs classes, les élèves sont fiers de leurs bons comportements et de leurs réussites. La fierté de ces élèves les aide à se former une identité et, par conséquent, motive leurs comportements. Dans d'autres groupes, une fierté différente se développe si les élèves se voient comme étant les pires : ils sont fiers de leurs comportements négatifs. Quand vous reconnaissez les réussites des élèves, les risques de voir apparaître une fierté négative sont moins grands. Comme enseignant, votre but doit être d'aider les élèves à être fiers de leurs réalisations et de leurs comportements positifs. Les stratégies suivantes permettent de développer une fierté positive au sein du groupe :

- Afficher les travaux des élèves

- Encourager les élèves verbalement

- Exposer les réalisations de sa classe

- Parler des réussites de tous ses élèves

- Manifester une fierté sincère envers ses élèves

- Aider les élèves à ressentir une fierté dans tous les domaines

- Développer la fierté des parents quant aux réalisations des élèves

- Manifester sa fierté par rapport à l'amélioration, pas seulement pour l'excellence

Afficher les travaux des élèves constitue un bon moyen de leur montrer que vous accordez de l'importance à leurs travaux et que vous êtes fier de ce qu'ils produisent. Les travaux affichés n'ont pas à être parfaits : ils doivent constituer un échantillon représentatif des élèves de votre classe. Afficher les travaux d'élèves qui ont souvent obtenu de faibles résultats les aide à avoir une meilleure estime d'eux-mêmes et les encourage à faire de plus gros efforts à l'avenir. Les afficher partout dans l'établissement, c'est-à-dire dans les corridors, les bureaux et d'autres endroits publics, peut encourager le développement d'une fierté positive chez les élèves. L'effet est plus marquant quand vous dites aux élèves que vous voulez que les autres voient le bon travail qu'ils font. Un exemple consisterait à afficher tous les projets scientifiques de vos élèves à la bibliothèque et à leur dire : « Vous avez tous bien travaillé sur vos projets de science : vous avez bien énoncé votre problème et votre hypothèse, indiqué clairement les étapes suivies et émis des conclusions pertinentes. Je suis si fier de vous tous que j'ai voulu montrer à toute l'école votre travail exemplaire. Voilà pourquoi j'ai affiché tous vos travaux à la bibliothèque. »

Encouragez les élèves verbalement de façon régulière. Quand vous êtes fier des comportements de vos élèves, faites-le-leur savoir. Quand ils comprennent un concept difficile, dites-leur que vous saviez qu'ils réussiraient. Ce sont d'excellents moyens de développer une fierté positive.

Demander à un autre membre du personnel d'entrer dans votre classe pour voir une réalisation particulière de votre groupe – par exemple leur manière de répondre à vos exigences – est une stratégie visant à *exposer les réalisations de votre classe*. Toutefois, quand vous utilisez cette stratégie, assurez-vous de *parler des réussites de tous les élèves* plutôt que des réalisations de quelques élèves seulement afin d'éviter que cette stratégie se retourne contre vous.

Vous avez plusieurs moyens d'*aider les élèves à ressentir de la fierté dans tous les domaines*, par exemple en reconnaissant publiquement les résultats exceptionnels, les actes de bonté, les bons comportements et les réalisations sportives. Vous pouvez aussi « élargir » la fierté déjà présente à l'intérieur du groupe en *développant la fierté des parents quant aux réalisations de leurs enfants*. Donnez aux parents la chance de revoir les travaux de leurs enfants dans des bulletins d'information, pendant des événements, ou lors de la rentrée et des rencontres parents-enseignants. Laissez les parents connaître les taux de présence, les résultats exceptionnels et les pourcentages de devoirs ou de travaux complétés. De cette manière, vous encouragez les parents à collaborer avec vous afin de renforcer cette stratégie puissante favorisant une relation positive.

Rappelez-vous que la fierté ne concerne pas que l'excellence. La *fierté liée à l'amélioration* doit être constamment encouragée. Les résultats aux examens, les travaux qui passent d'un *D* à un *C* et les devoirs qui sont remis à temps représentent pour vous une chance de reconnaître le succès des élèves et de développer cette fierté.

Quand Martin, un nouvel enseignant, a été responsable d'un groupe de 6e année dans une grande école primaire en janvier, il a utilisé une combinaison de ces approches pour favoriser la fierté des élèves. Le groupe s'était déjà «débarrassé» de deux autres enseignants, et les élèves étaient fiers d'être considérés comme la pire classe de l'école. En plus d'enseigner les comportements acceptables attendus et d'annoncer les conséquences liées aux comportements inappropriés, Martin s'est efforcé de développer une fierté positive au sein du groupe. Alors que ses élèves s'exerçaient à se déplacer dans l'école et à effectuer les transitions entre les activités de manière appropriée, il a invité le directeur et d'autres enseignants et leur a dit : «Je voulais seulement que vous voyiez à quel point ma classe est bonne et vous montrer comme je suis fier quand mes élèves se déplacent avec respect et en silence dans les corridors.» Après avoir montré aux élèves comment réagir quand il donne son signal, il a invité d'autres personnes dans sa classe et a dit : «Regardez comme mes élèves répondent rapidement et calmement à mon signal. Ils se sont beaucoup améliorés. Ne sont-ils pas remarquables?» De plus, il a dit régulièrement aux élèves qu'il avait hâte d'arriver à l'école chaque matin, car il aimait travailler avec eux et qu'il était très fier de l'amélioration de leurs comportements et de leurs résultats. Ce renforcement continu de la fierté positive du groupe a changé la fierté que les élèves nourrissaient pour leurs comportements négatifs en une fierté à l'égard de leurs comportements positifs.

Ce ne sont que quelques moyens de développer la fierté individuelle et collective des élèves. De plus, cela vous permettra d'entretenir de bonnes relations avec eux. Un élément clé du succès de Martin a été la sincérité de sa fierté envers ses élèves. Les enfants le savent quand vous êtes sincère; en revanche, les commentaires artificiels peuvent se retourner contre vous.

Les enseignants du secondaire doivent distinguer les différentes manières d'encourager la fierté des élèves selon leur niveau scolaire. Ce qui fonctionne avec les élèves du primaire et du premier cycle du secondaire n'est pas nécessairement approprié pour ceux du deuxième cycle. Sprick (1985) souligne qu'il est plus efficace de tenir un discours calme et posé avec ces élèves qu'un discours émotif, car ils deviennent embarrassés et n'aiment pas être stigmatisés. Ainsi, nous croyons que vous devriez instaurer une fierté positive parmi les élèves du secondaire; cependant, une méthode plus discrète peut s'avérer plus efficace.

Manifester de l'intérêt

Manifester de l'intérêt envers les élèves représente l'une des meilleures méthodes pour développer des relations positives avec eux (Kerman et collab., 1980). Quand vos gestes et vos paroles indiquent que vous vous souciez réellement de vos élèves, ceux-ci font de plus grands efforts et apprécient davantage l'école. Se soucier des élèves constitue une approche préventive de discipline puisque les élèves qui sentent qu'on s'intéresse à eux sont plus susceptibles de satisfaire les désirs et de répondre aux exigences. Quand un élève croit que son enseignant ne se soucie pas de lui ou ne l'aime pas, la situation peut être très difficile pour lui. Dans la plupart des cas, les enseignants se soucient de l'élève, mais ne le démontrent pas de la bonne manière. Les stratégies suivantes vous permettent de montrer aux élèves l'intérêt que vous leur portez:

- Manifester un intérêt pour la vie personnelle des élèves
- Accueillir les élèves à la porte quand ils entrent en classe
- Surveiller les élèves et rester en contact avec ceux qui affichent de fortes émotions
- Écouter sincèrement les élèves
- Faire preuve d'empathie envers les élèves

Questionner les élèves sur certains aspects de leur vie personnelle est un excellent moyen de leur montrer qu'ils sont importants pour vous. Vous pouvez les questionner sur un récent voyage, un passe-temps ou une activité sportive. Certains enseignants se font un devoir de surveiller les événements sportifs auxquels participent leurs élèves, ce qui leur montre qu'on s'intéresse à leur vie en dehors des murs de la classe. Il est cependant important d'être le plus équitable possible, afin que les autres ne croient pas que vous avez des « préférés ». Une manière proactive d'appliquer cette approche en début d'année est de demander aux élèves de rédiger un journal dans lequel ils écrivent ce qu'ils ont fait pendant les vacances, les animaux qu'ils possèdent, les sports qu'ils aiment et leurs passe-temps. À l'aide de ces renseignements, vous pourrez trouver des occasions pour poser des questions aux élèves ou leur faire des commentaires. Vous pourriez dire à une élève : « Suzie, j'ai lu que tu as un épagneul. J'en ai un aussi ! Ton chien sait-il faire des tours ? »

Accueillir les élèves à la porte quand ils entrent en classe est un moyen rapide et facile de montrer aux élèves qu'ils sont importants et que vous êtes content de les voir. Cette procédure vous aide aussi à commencer la journée en établissant un contact avec chaque élève. Wong et Wong (1998) affirment que cette approche permet de commencer la journée et l'année scolaire sur une bonne note.

Quand vous voyez des *élèves afficher de fortes émotions* (par exemple, quand ils sont contents, excités ou en colère), vous avez la chance de développer une relation positive en leur demandant comment ils vont et ce qu'il leur arrive. Les enfants se sentent importants et valorisés quand vous leur demandez, par exemple : « Est-ce que ça va ? » ou « Puis-je t'aider ? »

Écouter attentivement et sincèrement les élèves permet de leur communiquer votre intérêt. Maintenir un contact visuel et paraphraser fait comprendre à l'élève que vous l'écoutez.

De plus, quand vous décidez de *faire preuve d'empathie* envers les élèves, ils se rendent compte qu'ils sont reconnus et valorisés. Cela ne signifie pas que vous approuvez tous leurs gestes, mais que vous comprenez les émotions qui se cachent derrière ces actions. Pour montrer votre empathie, vous pouvez dire à un élève que, même s'il est mal de frapper quelqu'un, vous comprenez l'émotion qui l'a poussé à le faire.

Ce ne sont que quelques moyens pour montrer à vos élèves que vous vous souciez d'eux. Comme mentionné précédemment, ne sous-estimez jamais le pouvoir lié à l'intérêt que vous manifestez à vos élèves, car cela vous permet d'établir des relations positives qui, à leur tour, vous aident à prévenir les problèmes de discipline.

Prévenir et réduire la frustration et le stress

La frustration et le stress, qui sont inévitables dans le domaine de l'enseignement, sont les pires ennemis de nos meilleures intentions. Zehm et Kottler (1993) présentent quelques causes externes de stress chez les enseignants: élèves qui ont des difficultés comportementales, parents furieux et collègues médisants. La frustration peut avoir un effet dévastateur sur les relations élèves-enseignants puisqu'elle pousse les enseignants à prendre des décisions irrationnelles. Vous pouvez généralement savoir quand vous êtes en colère et en reconnaître rapidement les signes et les symptômes. Comme enseignant, la question n'est pas de savoir *si* vous serez en colère ou stressé, mais de savoir le *moment* où cela se produira et la *façon* dont vous gérerez la situation.

Les signes de frustration et de stress comprennent la nervosité, l'anxiété, l'essoufflement et une tendance à prendre des décisions irrationnelles. D'abord, vous devez reconnaître vos propres signes de frustration ou de stress afin d'empêcher leur amplification. Concevez un plan en vue de prévenir ou de réduire la frustration quand elle survient. Vos techniques de réduction ou de prévention de la frustration sont personnelles; ce qui convient à un enseignant ne fonctionne pas nécessairement avec vous. Les techniques courantes suivantes permettent de prévenir ou de réduire la frustration et le stress:

- Faire jouer de la musique douce et relaxante
- Regarder des affiches illustrant des endroits paisibles
- Modifier la planification de la journée ou des plans de cours
- Faire une promenade avec ses élèves
- Demander à un enseignant à proximité de prendre en charge pendant un certain temps un élève qui a des difficultés comportementales
- Dire aux élèves de lire individuellement
- Ranger son bureau

- Demander à un collègue de valider son travail
- Partager les responsabilités au sein du personnel
- Échanger à propos des stratégies liées à la frustration

Quand la frustration s'installe, *faire jouer de la musique douce et relaxante* peut être bénéfique pour vous et aussi pour vos élèves. Certains enseignants font toujours jouer de la musique douce au cours de certaines périodes en classe.

Regarder des affiches illustrant des endroits paisibles dans la classe peut vous aider à vous calmer. Des affiches présentant des plages magnifiques, des montagnes enneigées, des vallées verdoyantes, des stations de ski ou des îles tropicales vous donneront, à vous ainsi qu'à vos élèves, la chance de prendre de courtes vacances mentales.

La plupart des enseignants apprécient certaines matières ou disciplines plus que d'autres. Si vous ressentez de la frustration ou du stress, tentez de *modifier votre planification de la journée ou vos plans de cours* pour enseigner une matière qui vous apporte du plaisir tout en développant les compétences prévues au programme d'enseignement.

Parfois, *faire une petite promenade* autour de l'école avec vos élèves peut éloigner les sentiments de frustration et de stress. Cela aide aussi les élèves à retrouver leur énergie. Vous pouvez même intégrer cette activité au programme en organisant une marche dans la nature ou en mettant sur pied un projet communautaire (par exemple, ramasser les déchets).

Les élèves qui ont des difficultés comportementales peuvent être une source majeure de frustration. Vous pouvez *demander à un enseignant à proximité de prendre en charge pendant un certain temps un élève ayant des difficultés comportementales.* Cette stratégie doit être planifiée pour vous assurer que cet arrangement convient à votre collègue. Au début, il serait bien de proposer à l'autre enseignant de lui rendre la pareille.

Imposer une période de lecture individuelle au besoin constitue un autre moyen de calmer la classe et de vous donner le temps de reprendre vos esprits quand la frustration se pointe.

Pour certains enseignants, un bureau en désordre rappelant les nombreuses tâches inachevées est une cause de stress ou de frustration. Si vous êtes un de ces enseignants, prenez le temps de *ranger votre bureau* et d'organiser votre espace de travail.

Souvent, le stress et la frustration disparaissent quand un collègue ou un supérieur vous laisse savoir qu'il apprécie et respecte votre travail. Connaître les collègues que vous pouvez consulter quand vous souhaitez que votre *travail soit approuvé* est une autre technique permettant de réduire le stress et la frustration. Le *partage des responsabilités au sein du personnel* est aussi utile, puisque le stress et la frustration surviennent souvent quand un enseignant se sent surchargé et en retard. Laissez savoir à vos collègues que vous pouvez les aider à accomplir leurs tâches et laissez-les vous rendre la pareille. De plus, *échanger avec d'autres enseignants concernant les techniques de réduction du stress et de la frustration* est un bon moyen d'élargir son répertoire de stratégies.

Zehm et Kottler (1993) proposent d'autres stratégies de réduction du stress et de la frustration, comme avoir un mode de vie sain, c'est-à-dire avoir de bonnes habitudes de sommeil et ne prendre ni drogue ni alcool. Ils recommandent aussi des activités de formation continue et de perfectionnement professionnel, comme varier les tâches d'enseignement, prendre une année sabbatique, participer à un échange d'enseignants, faire du coenseignement, superviser un stagiaire, retourner aux études, organiser des sorties éducatives, mener des projets de recherche, faire une demande de subvention et mettre sur pied des projets technologiques. De plus, ils proposent de tenir un journal comme stratégie de réflexion visant à gérer le stress et la frustration.

En résumé, il existe plusieurs moyens pour vous aider à développer des relations positives avec vos élèves au cours de vos interactions quotidiennes avec eux. En plus de contribuer à un environnement de classe positif, cela améliore la qualité de vie de chacun à l'école.

Bien que les relations positives constituent la base d'un bon système d'encadrement disciplinaire, les relations seules ne sont pas suffisantes. Il est aussi essentiel de définir clairement les attentes en ce qui a trait aux comportements acceptables, d'encadrer ces comportements et d'imposer des conséquences au besoin.

Chapitre 2

Définir clairement les attentes en ce qui a trait aux comportements acceptables en classe

Établir et enseigner les règles et les procédures ainsi que les comportements acceptables est essentiel à une gestion efficace des comportements des élèves et constitue environ 25 % de l'ensemble du graphique présentant les quatre éléments essentiels de la discipline en classe (*voir la figure 1, page 4*). D'après un résumé des études portant sur la gestion de classe, Marzano (2003) indique que tous niveaux confondus, le nombre de dérangements dans les classes où les règles et les procédures ont été efficacement établies est de 28 % inférieur au nombre moyen de dérangements dans les classes où ce n'est pas le cas.

Chaque enseignant devrait prendre le temps d'enseigner les règles et les procédures de façon explicite et de faire respecter les attentes clairement définies au regard des comportements acceptables des élèves. Malheureusement, plusieurs enseignants font l'erreur de nommer les règles et les procédures plutôt que de les enseigner. La vérité est que les élèves n'apprennent pas ce qu'on leur dit : ils apprennent ce qu'on leur enseigne. Cela n'a pas plus de sens d'énoncer les règles concernant les comportements acceptables des élèves que d'énoncer les règles de mathématique, plutôt que de les enseigner. Il est essentiel d'enseigner explicitement les règles et les procédures du système d'encadrement disciplinaire et de les appliquer dès le premier jour d'école.

Canter et Canter (1997) décrivent un système d'encadrement disciplinaire comme une politique regroupant les règles et les procédures précises qui s'appliquent à tous les élèves, en tout temps et à tout endroit. Le système d'encadrement disciplinaire précise aussi comment réagir quand les élèves n'observent pas les règles ou les enfreignent.

Canter et Canter (1997) affirment que les règles et les procédures, lorsqu'elles sont mises en pratique, mènent à des comportements acceptables qui s'appliquent à une classe particulière, à un événement ou à un endroit de l'établissement. Par exemple, participer à un rassemblement, travailler en présence de remplaçants, boire et utiliser le taille-crayon sont des actions qui relèvent de règles et de procédures. Marzano (2003) donne aussi comme exemples la façon de commencer ou de terminer la journée ou la période ; de se déplacer vers les toilettes ; de mener les exercices d'incendie ; d'utiliser la bibliothèque ; de se rendre chez un enseignant spécialiste ; de distribuer, d'utiliser et d'entreposer l'équipement spécialisé ; d'être responsable d'un groupe de travail et de se comporter lors des périodes de travail individuel et pendant les activités dirigées par l'enseignant, y compris ce qu'il faut faire quand le travail est terminé. Il affirme que les procédures bien définies et enseignées réduisent les problèmes de discipline à tous les niveaux scolaires.

Vous devez prendre tout le temps nécessaire pour enseigner les règles et les procédures qui s'appliquent dans votre classe. Si vous n'enseignez pas ces concepts de manière explicite, les élèves auront du mal à déterminer les comportements acceptables dans la classe ainsi que vos attentes en lien avec les règles établies. De plus, les élèves auxquels vous n'avez pas enseigné les comportements acceptables peuvent vous mettre au défi en voyant jusqu'où ils peuvent aller. Investir du temps afin d'énoncer et d'enseigner les règles de votre classe est très important, car cela permettra par la suite d'augmenter le temps d'apprentissage de tous les élèves.

Le système d'encadrement disciplinaire

Votre système d'encadrement disciplinaire doit comprendre toutes les règles et procédures qui s'appliquent à tous les élèves et dans tous les endroits. La liste ne doit pas être trop longue : cinq ou six règles au maximum. Suivre ces étapes vous aidera à mettre en œuvre une gestion efficace des comportements et des apprentissages dans votre classe :

1. Choisir des règles significatives, précises et concrètes. Des règles comme « les élèves doivent être corrects en tout temps » ou « les élèves doivent agir de manière responsable en tout temps » sont inappropriées, car elles sont trop imprécises et peuvent mener à une mauvaise interprétation.

2. Établir des conséquences pour les élèves qui ne répondent pas aux exigences du système d'encadrement disciplinaire.

3. Enseigner les règles et les procédures aux élèves.

4. Afficher les règles et les procédures dans un endroit bien visible.

5. Communiquer ses règles et le système d'encadrement disciplinaire de sa classe aux parents.

6. Mettre en application son système d'encadrement avec impartialité et cohérence.

Assurez-vous que les règles et procédures établies dans votre système d'encadrement sont appropriées, comme indiqué à l'étape 1. Jetez un coup d'œil aux règles suivantes et voyez comment il est difficile de les faire respecter :

- Soyez corrects en tout temps.

- Agissez de manière responsable.

- Comportez-vous de manière appropriée.

- Soyez aimables.

Ces règles, qui concernent à tous les élèves et tous les endroits, sont si générales qu'elles pourraient être interprétées différemment par les élèves. En revanche, les règles de la prochaine liste sont valables pour tous les élèves et tous les endroits, et sont suffisamment précises pour être bien comprises par tous les élèves :

- Suivez les consignes de l'enseignant.

- Suivez toutes les règles.

- Parlez calmement.

- Levez la main avant de parler.

Même si ces règles sont plus explicites, une certaine précision peut s'avérer nécessaire. Par exemple, ce que vous voulez dire par « calmement » peut devoir être enseigné et modelé afin que les élèves sachent ce à quoi vous vous attendez. Enseignez ce que « calmement » veut dire et ne veut pas dire, et assurez-vous que les élèves comprennent bien. C'est particulièrement important au primaire. L'objectif est d'utiliser des mots dont la signification prête le moins possible à confusion et, si nécessaire, d'enseigner exactement ce que signifient les règles afin que chacun connaisse parfaitement les attentes en classe.

Les règles et les procédures

Vos règles doivent indiquer clairement aux élèves la marche à suivre en ce qui a trait aux comportements appropriés dans les divers locaux ou endroits de l'établissement et lors des différentes activités. Canter et Canter (1997) proposent trois catégories de règles : pendant les travaux, dans la classe et en situation particulière.

Les règles et les procédures à suivre pendant les travaux sont les comportements que les élèves doivent adopter quand ils s'adonnent à des tâches scolaires. Elles concernent les éléments suivants :

- La participation aux discussions de groupe
- Les comportements appropriés pendant les périodes de travaux individuels
- Le matériel que les élèves doivent apporter en classe pour être prêts
- La façon de demander l'aide de l'enseignant
- Le moment et l'endroit où rendre les travaux achevés et la façon de le faire

Plutôt que de seulement afficher les règles et les procédures à suivre pendant les cours, enseignez-les à vos élèves dans le contexte de situations précises. Par exemple, au moment de discussions de groupe, vous pouvez préciser aux élèves qu'ils doivent lever la main et attendre d'être nommés avant de parler, que vous voulez qu'ils participent tous et qu'ils fassent preuve de respect en écoutant attentivement les autres.

Quand vous faites part de vos attentes en ce qui concerne les périodes de travaux individuels, vous pouvez montrer aux élèves la façon de demander de l'aide au besoin, le moment et la manière de se procurer le matériel nécessaire ou de tailler leurs crayons, et ce qu'ils peuvent faire une fois leur travail terminé. Quand vous enseignez aux élèves la façon d'arriver en classe pour être prêts à travailler, expliquez-leur qu'ils doivent apporter les livres appropriés, des crayons ou des stylos, du papier ou un cahier, ou tout autre matériel particulier, comme une calculatrice. Chaque enseignant doit déterminer le matériel qui est nécessaire dans sa classe et enseigner aux élèves à apporter systématiquement leur matériel afin d'être prêts à apprendre en dérangeant le moins possible l'enseignement.

Une autre chose à enseigner aux élèves est la façon de demander de l'aide. Cela peut varier selon le regroupement des élèves dans votre classe : ces règles seront différentes selon que les élèves travaillent en petits groupes, de manière autonome ou en groupe classe. Dans certains cas, vous pouvez leur dire de demander d'abord de l'aide à un autre élève avant de venir vous voir. Vous pouvez leur proposer d'autres stratégies, comme chercher dans le dictionnaire ou tenter de deviner par eux-mêmes. Selon les situations, un élève peut venir vous voir à votre bureau, lever la main ou utiliser une « carte d'aide » pour indiquer qu'il a besoin de soutien. Le principe consiste à exposer clairement vos attentes dans diverses situations pendant les cours, selon le contexte précis et d'après ce que vous croyez qui peut aider un élève en particulier, sans toutefois interférer avec l'apprentissage des autres.

Vous devriez aussi indiquer aux élèves l'endroit et le moment où remettre les travaux achevés ainsi que la manière de le faire. Si vous voulez que les élèves remettent leurs devoirs dans un panier au début des cours avant de s'asseoir, il est important de leur enseigner à le faire et de constamment le leur rappeler afin qu'ils suivent cette procédure. Si les élèves travaillent seuls à leur pupitre et que vous souhaitez qu'ils attendent la cloche avant de remettre leurs travaux en quittant la classe, vous devez le leur demander. Encore une fois, nous insistons sur le fait que les élèves apprennent ce qu'on leur enseigne, et non ce qu'on leur dit.

Un exemple de règles et procédures à suivre avant, pendant et après les travaux

Les discussions de groupe :
- Levez la main.
- Attendez d'être nommé.
- Écoutez attentivement et respectueusement.
- Participez.

Les périodes de travaux individuels :
- Levez votre « carte d'aide » au besoin.
- Rangez votre pupitre.
- Taillez vos crayons en entrant dans la classe.
- Lisez en silence quand vous avez terminé votre travail.

La préparation à l'arrivée en classe :
- Apportez les livres appropriés.
- Apportez des crayons ou des stylos.
- Apportez du papier, un cahier et une calculatrice.

Les demandes d'aide :
- Levez votre « carte d'aide » pendant les périodes de travaux individuels.
- Demandez à votre voisin lorsqu'il s'agit de travaux d'équipe.

La remise des travaux achevés :
- Placez les travaux dans les paniers appropriés selon les directives de l'enseignant.

Les devoirs :
- Placez les devoirs dans les paniers appropriés en entrant dans la classe, au début des cours.

Les règles de la classe présentent les comportements acceptables des élèves lorsqu'ils sont en classe. Elles comprennent les attentes de l'enseignant en ce qui concerne :

- Le moment d'utiliser le taille-crayon

- La façon de se procurer quelque chose à boire ainsi que le moment et le lieu appropriés pour le faire

- La façon d'entrer dans la classe et d'en sortir

- La manière de répondre au signal de l'enseignant

- Les retards

Encore une fois, plutôt que de simplement afficher les règles, enseignez-les dès la première journée d'école et répétez-les au besoin. Il est essentiel d'expliquer vos attentes aux élèves et que ceux-ci se sentent responsables de répondre à ces attentes.

Vous pourriez demander aux élèves d'utiliser le taille-crayon seulement au début de la journée ou pendant les périodes de travaux individuels afin de ne pas interrompre votre enseignement. La même règle pourrait s'appliquer lorsqu'ils ont soif. Certains enseignants enseignent à leurs élèves une manière précise d'entrer dans la classe, par exemple en formant une ligne près de la porte avant d'obtenir l'autorisation d'entrer. Une fois qu'ils sont entrés, vous pouvez exiger qu'ils se rendent directement à leur pupitre et qu'ils entreprennent le travail indiqué au tableau. Plusieurs enseignants insistent sur le fait que ce n'est pas la cloche qui donne aux élèves l'autorisation de quitter la classe à la fin de la journée, mais bien l'enseignant lui-même. Pour que cette étape se déroule dans l'ordre, les élèves peuvent par exemple quitter une rangée à la fois, l'enseignant attendant que les élèves d'une même rangée soient prêts et silencieux avant de pouvoir sortir.

À propos du signal de l'enseignant, il est essentiel que les élèves connaissent ce signal, qu'ils dirigent immédiatement leur attention vers l'enseignant quand le signal est donné et que l'enseignant attende que tous les élèves y aient répondu avant de poursuivre. Finalement, l'enseignant doit expliquer ce qui est considéré comme un retard, par exemple quand une personne arrive immédiatement après que la cloche a sonné ou quand un élève entre en classe jusqu'à une minute après la cloche.

Encore une fois, nous ne vous encourageons pas à mettre en application toutes ces règles dans votre classe, mais il est souhaitable que vous établissiez des règles et que vous les enseigniez à vos élèves, en les enseignant à nouveau au besoin.

> ### Un exemple de règles et de procédures à suivre en classe
>
> **Le taille-crayon :**
> - Utilisez-le avant la seconde cloche.
>
> **Les boissons :**
> - Procurez-vous-les avant la seconde cloche.
>
> **La préparation à l'entrée en classe :**
> - Alignez-vous près de la porte et attendez l'autorisation de l'enseignant avant d'entrer.
>
> **La préparation au départ de la classe :**
> - Assurez-vous de ne rien laisser sur vos pupitres.
> - Assoyez-vous calmement.
> - Regardez l'enseignant.
> - Attendez le signal de l'enseignant pour quitter la classe.
>
> **La réponse au signal de l'enseignant :**
> - Croisez les bras.
> - Assoyez-vous calmement.
> - Regardez l'enseignant.
>
> **L'entrée en classe :**
> - Assoyez-vous à votre place avant la seconde cloche.

Les règles à suivre à l'occasion d'*événements particuliers* correspondent aux comportements à adopter quand les élèves participent à des activités spéciales. Ce sont les règles liées aux procédures suivantes :

- La façon de se rendre à la bibliothèque ou au gymnase

- La manière de travailler en présence de remplaçants

- La façon de réagir aux exercices d'incendie

Les élèves qui se rendent à la bibliothèque ou au gymnase doivent suivre des procédures de sortie semblables à celles en vigueur quand la journée se termine : les élèves attendent en ligne la permission de sortir plutôt que de courir à la porte quand la cloche se fait entendre. Plusieurs enseignants expliquent aux élèves que les règles qui s'appliquent quand ils sont présents demeurent applicables quand un remplaçant est responsable du groupe. Pour en imposer le respect, ils peuvent alourdir les conséquences si les élèves adoptent un mauvais comportement en présence d'un remplaçant. Quand vous enseignez à vos élèves comment agir lors des exercices d'incendie, vous pouvez leur dire d'arrêter ce qu'ils sont en train de faire, de se rendre calmement et rapidement à l'endroit indiqué, de former une ligne, et d'attendre les directives en silence.

Un exemple de règles et de procédures à suivre lors d'événements particuliers

La bibliothèque, le gymnase, la salle de repas ou un cours donné par un enseignant spécialiste :

- Attendez d'avoir l'autorisation de quitter la classe.
- Formez une ligne, puis marchez calmement et rapidement.
- Attendez en silence.

Les remplaçants :

- Toutes les règles de la classe et de l'établissement s'appliquent en présence des remplaçants.

Les exercices d'incendie :

- Arrêtez de faire ce que vous êtes en train de faire.
- Demeurez silencieux.
- Marchez calmement et rapidement vers l'endroit désigné.
- Attendez les directives de l'enseignant.

Peu importe ce que vous décidez concernant vos règles, vous devez suivre cinq étapes en vue de les établir :

1. Déterminer les règles pour chaque circonstance.

2. Enseigner les règles et les procédures.

3. Afficher les règles et les procédures.

4. Communiquer les règles aux parents.

5. Appliquer les règles en imposant les conséquences établies dans son système d'encadrement disciplinaire.

Catherine enseigne en 1re année. Elle croit fermement que les élèves doivent suivre des règles et des procédures bien définies en ce qui a trait aux comportements acceptables en classe. Dès la première journée d'école, elle enseigne à ses élèves son signal et la façon d'y répondre, le matériel à apporter chaque jour dans la classe, la manière de sortir de la classe, l'endroit où déposer les travaux, le moment de tailler les crayons et la façon d'obtenir de l'aide de l'enseignant. Elle enseigne ces règles aux élèves, mais elle les leur fait aussi mettre en pratique au cours de la journée et les affiche visiblement aux murs de la classe. Elle sait qu'elle devra enseigner ces règles et faire pratiquer les élèves pendant au moins quelques semaines, jusqu'à ce qu'ils s'y conforment automatiquement. De plus, elle a communiqué ces règles aux parents dans une lettre qu'elle leur a envoyée avant la première journée d'école. Dans cette lettre, elle a inscrit le numéro de téléphone pour la joindre et indiqué le meilleur moment pour appeler afin de poser des questions. Elle a aussi rappelé les conséquences imposées aux élèves qui ne respectent pas les règles et les récompenses allouées à ceux qui les suivent.

Enseigner votre système d'encadrement disciplinaire et ses règles et procédures

Rappelez-vous : le temps passé à enseigner le système d'encadrement disciplinaire et ses règles et procédures est un investissement qui rapporte beaucoup en ce qui concerne l'augmentation du temps d'apprentissage, les comportements plus centrés sur la tâche et une meilleure satisfaction dans votre travail. C'est un concept très important auquel plusieurs enseignants ne consacrent pas suffisamment de temps. Cela peut être dû à la mauvaise perception de plusieurs enseignants concernant l'enseignement du système d'encadrement, comme le souligne Jones (1987) :

- Les enfants devraient seulement connaître les règles.

- Les règles ne doivent être qu'annoncées.

- Les règles ne doivent être enseignées qu'au début de l'année.

- Les enfants n'aiment pas passer du temps à écouter l'enseignement des règles.

La vérité est que si vous n'enseignez pas les règles, les élèves ne les connaîtront pas et ils vous mettront au défi. De plus, comme mentionné précédemment, les élèves apprennent ce qu'on leur enseigne, et non ce qu'on leur dit. Cela doit faire partie d'un processus continu dans lequel les règles sont enseignées, et enseignées à nouveau au besoin, et non seulement au début de l'année. Enfin, les élèves n'appréhendent pas le temps consacré à ce processus. Ils ont besoin d'une structure, et la structure est nécessaire pour fournir un bon enseignement.

Vous devriez suivre ces six étapes lorsque vous enseignez votre système d'encadrement disciplinaire et vos règles et procédures:

1. *Commencez par une introduction.* Commencez le cours en expliquant clairement aux élèves ce qu'ils apprendront et la raison pour laquelle c'est important.

2. *Expliquez la logique et le bien-fondé de chaque règle.* Les élèves ont tendance à appuyer les règlements qui sont logiques et qui ont un sens pour eux. Ne présumez pas que les élèves comprennent la logique qui sous-tend chaque règle. Expliquez-leur plutôt le bien-fondé et l'importance de chaque règle.

3. *Modelez le comportement espéré.* Le meilleur moyen est d'intégrer des exemples précis des concepts enseignés. Quand vous enseignez votre système d'encadrement disciplinaire et vos règles, vous devez démontrer exactement ce que vous attendez.

4. *Autorisez une période de questions.* Encouragez vos élèves à poser des questions pour être certain qu'ils ont bien compris les concepts enseignés.

5. *Encouragez les élèves à manifester leur compréhension.* Après avoir enseigné votre système d'encadrement disciplinaire et vos règles et procédures, vous devriez donner aux élèves la chance de montrer leur compréhension des concepts. Les élèves devraient mettre en pratique les règles jusqu'à ce qu'ils les comprennent parfaitement.

6. *Enseignez à nouveau le système d'encadrement disciplinaire et les règles.* À tout moment, si vous observez que les élèves ne se conforment pas au système d'encadrement et aux règles, n'hésitez pas à enseigner à nouveau ces concepts.

Thomas est un nouvel enseignant de 5e année. Il sait qu'il doit expliquer clairement aux élèves ce qu'il attend d'eux et leur expliquer les raisons de ses attentes. Une des règles établies consiste à marcher calmement et silencieusement dans les corridors lors des transitions entre la classe et d'autres endroits de l'établissement, comme la salle de repas, le gymnase ou la bibliothèque. Dès la première journée d'école, il explique aux élèves qu'ils apprendront des choses dans la classe, mais aussi dans d'autres endroits de l'établissement. Il poursuit en s'assurant qu'ils comprennent que, puisqu'ils sont les élèves les plus vieux de l'école, ils doivent montrer les comportements acceptables aux autres élèves. De plus, il leur dit qu'il leur fait confiance, qu'il est fier d'eux et qu'il sait qu'ils seront un exemple à suivre pour tous les autres élèves. Il explique aussi que lorsque des élèves se déplacent, il est possible que les autres classes soient dérangées si ces élèves parlent fort ou sont irrespectueux. Il veut que les élèves marchent les uns derrière les autres le long du corridor, qu'ils gardent le silence et qu'ils ne touchent à rien. Il montre ce qu'il veut dire à l'aide de quelques élèves auxquels il a déjà enseigné la procédure et il met cela en pratique avec tout le groupe, plusieurs fois au cours de la journée.

Un excellent moyen de voir si vos élèves comprennent bien votre système d'encadrement disciplinaire et vos règles et procédures est de leur faire passer un test écrit. Thompson (1998) encourage les enseignants à poser des questions portant sur le système d'encadrement et les règles établies dans votre classe et dans l'établissement.

Des exemples de questions pouvant faire partie d'un test sur le système d'encadrement disciplinaire

- Énumère quatre choses à faire quand tu entends « S'il vous plaît, accordez-moi votre attention ! »
- Énumère la procédure à suivre quand tu vas aux toilettes.
- Inscris deux choses à faire pour éviter d'être en retard.
- Quelles sont les quatre choses que tu dois toujours apporter en classe ?
- Énumère les deux situations dans lesquelles il t'est permis de te rendre à ta case.

Établir et enseigner des règles et des procédures clairement définies en ce qui a trait aux comportements acceptables des élèves est un élément important du système d'encadrement disciplinaire. Si c'est fait de manière efficace et que les comportements sont bien encadrés, les conséquences se feront rares.

Chapitre 3

Mettre en pratique ses habiletés d'encadrement

Le succès du système d'encadrement disciplinaire de votre classe est tributaire de vos habiletés à instaurer une gestion efficace des comportements des élèves. La capacité à surveiller efficacement les comportements de vos élèves est l'un des plus puissants outils de gestion disponibles, et l'un des meilleurs moyens de prévenir l'aggravation des problèmes de discipline dans votre classe. De bonnes habiletés de gestion des comportements permettent de faire savoir aux élèves que vous les surveillez et que tout comportement inapproprié doit immédiatement cesser, cela sans déranger ou retarder votre enseignement. De plus, une bonne utilisation de vos habiletés de gestion des comportements favorise des changements positifs dans le comportement des élèves, tout en leur permettant de garder leur dignité.

Comme illustré dans la figure 1 (*page 4*), les habiletés d'encadrement représentent environ 25 % d'un système d'encadrement disciplinaire efficace. En plus de favoriser des relations élèves-enseignants positives et de définir clairement les attentes quant aux comportements acceptables, l'utilisation d'habiletés de gestion des comportements constitue une stratégie proactive permettant de prévenir l'attribution de conséquences découlant des comportements inappropriés des élèves.

Jones (1987) résume les résultats de milliers d'observations faites dans des classes où les mesures disciplinaires des enseignants ont été analysées. Ces résultats indiquent que les enseignants doivent rarement intervenir à la suite de batailles ou d'injures. En fait, Jones affirme que si les seules mesures disciplinaires que devaient prendre les enseignants étaient liées aux batailles et aux injures, ils consacreraient peu de temps à la discipline. Son étude révèle que 95 % des interventions des enseignants concernaient les élèves qui ne parlent pas à leur tour pendant les cours et ceux qui ne demeurent pas assis à leur pupitre. Ses conclusions indiquent qu'il existe trois raisons principales à ces comportements :

- L'élève croit que l'enseignant ne remarque pas son comportement.

- L'élève croit que l'enseignant ne se soucie pas de son comportement.

- L'élève croit qu'il n'y a aucune conséquence significative associée à son comportement.

Quand les enseignants utilisent leurs habiletés d'encadrement, ils signalent qu'ils voient le comportement, qu'ils se préoccupent de la situation et qu'il est dans l'intérêt de l'élève de cesser ce comportement inapproprié.

Thompson (1998) définit la surveillance comme étant le fait d'être bien conscient de ce que chaque élève fait pendant chaque minute du cours. Cela nécessite une grande vivacité d'esprit. Les « yeux derrière la tête » : ils caractérisent les excellents enseignants qui peuvent écrire au tableau et dire au même moment à un élève assis au fond de la classe de cesser de faire circuler des notes. Marzano (2003) définit la surveillance comme étant l'habileté à être aux aguets : demeurer en tout temps conscient de ce qui se passe partout dans la classe, en la balayant du regard, même quand on travaille avec de petits groupes ou des individus.

Vous devez tenir compte des quatre habiletés de gestion des comportements suivantes : maintenir une proximité, imposer le silence, fournir des possibilités de répondre et mettre en pratique le « regard de l'enseignant ». La cinquième habileté est la capacité à utiliser toutes ces habiletés en même temps. Voyons ces habiletés d'encadrement plus en détail.

Maintenir une proximité

Un des meilleurs moyens de laisser savoir aux élèves qu'ils sont surveillés est de maintenir une étroite proximité avec eux – être physiquement à moins de deux mètres d'eux. L'effet magique de cette stratégie est que les élèves ressentent votre présence et qu'ils se comportent en conséquence. Vous déplacer vers un élève qui est de moins en moins concentré sur sa tâche est un moyen facile et rapide de lui dire en silence qu'il doit immédiatement se remettre au travail. De plus, vous pouvez ainsi facilement maintenir une étroite proximité sans interrompre votre enseignement. Certains enseignants sont si habitués d'être devant la classe qu'ils se déplacent rarement. Il est important de se rappeler que des choses positives surviennent quand vous êtes près de vos élèves. Il n'y a aucun mal à enseigner à partir d'une multitude d'endroits dans la classe. En fait, comme stratégie permettant de bien surveiller divers groupes d'élèves, certains enseignants se déplacent régulièrement tout en enseignant.

Il serait bon d'examiner vos propres habitudes en matière de proximité. En faisant cela, vous pourriez découvrir certains endroits de la classe auxquels vous ne prêtiez pas attention, par exemple l'arrière de la classe, le centre ou un coin avant. Marzano (2003) affirme que les enseignants devraient passer du temps dans chaque quadrant de la classe lorsqu'ils enseignent. Cette stratégie proactive permet d'éviter les problèmes de discipline. Souvent, les endroits les plus oubliés sont ceux où s'assoient les élèves dérangeants et moins concentrés. Pour gérer ce problème, vous devez faire asseoir ces élèves plus près de vous ou changer vos habitudes en matière de proximité. Pour utiliser cette stratégie, la première étape consiste à analyser ce que vous faites pendant que vous le faites. Faites une vidéo d'un cours ou demandez l'aide d'un autre enseignant ou de votre directeur pour noter vos déplacements.

Dans le schéma de proximité présenté à la figure 3.1, un observateur a utilisé un «X» pour indiquer où était l'enseignant toutes les 30 secondes pendant son cours. Dans cet exemple, il est évident que l'enseignant évite le centre de la classe et compromet ainsi la proximité avec les élèves du centre. L'enseignant pourrait revoir ses habitudes après avoir examiné ce tableau.

Figure 3.1 ■ Le shéma de proximité

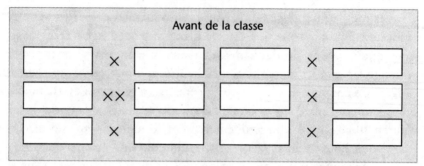

Être à l'affût des élèves qui commencent à négliger leur travail et se déplacer vers eux avant que le problème s'aggrave est une stratégie très efficace. Maintenir ce genre de proximité peut rapidement empêcher le comportement inapproprié de s'amplifier. Vous pouvez utiliser cette habileté en tout temps. Demeurer près de vos élèves lors de l'enseignement direct et pendant les périodes de travail individuel les aide à être concentrés et attentifs. Cela vous donne également l'occasion d'évaluer le rendement scolaire des élèves et de leur fournir une rétroaction précise et immédiate.

Imposer le silence

Souvent, le bruit que vous entendez le plus en classe est le silence. En fait, le silence est un moyen immédiat d'attirer l'attention des élèves. Quand vous interrompez soudainement votre enseignement et qu'un silence prolongé s'installe, les élèves qui étaient moins centrés sur leurs tâches ou qui commençaient à être agités retournent souvent à leur travail.

Le moment opportun pour un silence prolongé est juste après que les élèves ont reçu des consignes. Par exemple, après avoir dit « Allez à la page 16 » ou « Sortez vos livres de lecture », vous devriez surveiller les élèves et vous assurer qu'ils suivent les consignes. Chaque consigne devrait être suivie d'un silence qui dure jusqu'à ce que chaque élève réponde à l'exigence. De plus, rappelez-vous qu'un silence de 10 secondes peut sembler une éternité pour les élèves. Il existe quelques stratégies efficaces et très faciles à mettre en application, comme imposer le silence.

Fournir des possibilités de répondre

Plusieurs élèves ont tendance à être inattentifs pendant les discussions de groupe, car l'enseignant ne leur fait pas comprendre qu'ils sont concernés par ces discussions. Si, pendant votre enseignement, vous laissez paraître que certains élèves n'auront pas à participer aux discussions, il y a plus de risques que ces élèves s'en désintéressent.

Un moyen efficace de garder les élèves concentrés lors des discussions dirigées par l'enseignant est de donner une chance de répondre au plus grand nombre d'élèves possible. Exiger des réponses en chœur et demander à tous les élèves de répondre par écrit à vos questions sont quelques façons d'encourager tous les élèves à réfléchir au contenu de la discussion. Rappelez-vous que, lorsque vous ne nommez que les élèves qui lèvent la main, vous augmentez involontairement les risques que les élèves qui ont la main baissée se désintéressent de l'activité et qu'ils ne réfléchissent pas au contenu de la discussion. Une manière de vous assurer que vous nommez équitablement vos élèves est de mettre leurs noms dans un contenant et de tirer au sort le nom de celui qui devra répondre à la question.

L'objectif est d'augmenter les chances de chaque élève de répondre. Rappelez-vous que, chaque fois que vous nommez un élève, vous communiquez le message qu'il fait partie du groupe et qu'il est responsable de l'enseignement qu'il reçoit. De plus, faites attention de ne pas délaisser volontairement un élève, de peur qu'il soit embarrassé ou humilié. Le danger qui en découle est qu'en ne nommant jamais un élève, vous lui donnez en quelque sorte la permission d'être distrait et de penser à autre chose.

Mettre en pratique le « regard de l'enseignant »

Les enseignants qui ont beaucoup d'expérience ont souvent recours à un puissant outil : « le regard ». Regarder fixement un élève qui commence à déroger de sa tâche peut rapidement ramener son attention au travail à accomplir. Ce type de regard signale que vous êtes conscient de ce que l'élève fait et que vous souhaitez que le comportement inapproprié cesse.

Marzano (2003) fait valoir cette stratégie en encourageant les enseignants à balayer régulièrement la classe du regard, tout en établissant un contact visuel avec les élèves et en prêtant attention aux situations qui pourraient devenir problématiques.

Utiliser toutes les habilités en même temps

Pour certains élèves, un enseignant qui maintient avec eux une proximité est tout ce qu'il leur faut pour rester concentrés. Pour d'autres, une chance de répondre, un regard qui se pose sur eux ou un moment de silence peut être nécessaire. Dans certains cas, vous pouvez exploiter les quatre stratégies d'encadrement au même moment.

Voici un exemple de l'utilisation simultanée des stratégies. Marc-André commence à négliger son travail et est légèrement dérangeant, alors que vous enseignez une leçon de mathématique. Interrompez soudainement votre enseignement, regardez directement Marc-André et dites : « Marc-André, quelle est la réponse à la dernière question ? » Il vous lancera un regard vide, vous vous approcherez de lui en soutenant son attention et lui direz doucement : « Marc-André, je reviendrai à toi. » Cela peut s'avérer un moyen très efficace de vous faire comprendre, de ramener son attention et de réduire les risques qu'une telle situation se reproduise.

Utiliser toutes les habiletés d'encadrement en même temps avec un seul élève transmet un message très clair. Toutefois, vous devez faire attention au moment où vous exploitez les stratégies et aux élèves avec qui vous les utilisez. Avec certains élèves, cela pourrait s'avérer excessif et être inefficace ; cela pourrait même provoquer une crise. L'important est de connaître les élèves avec qui vous pouvez mettre à profit une combinaison de stratégies.

Ce que vous devez vous rappeler quant aux habiletés de gestion des comportements, c'est que les approches disciplinaires les plus efficaces sont immédiates, puissantes, faciles à appliquer et qu'elles dérangent le moins possible votre processus d'enseignement. La surveillance intègre toutes ces caractéristiques. Quand la surveillance ne suffit pas, cependant, les enseignants doivent avoir des mesures disciplinaires immédiates et significatives à leur portée. Le prochain chapitre aborde les conséquences efficaces que l'enseignant peut imposer aux élèves.

Chapitre 4

Mettre les conséquences en application

Les conséquences résultant de comportements inacceptables sont nécessaires quand les autres approches se sont avérées un échec. C'est la partie négative du travail de l'enseignant : si elles sont utilisées de manière excessive, elles n'ont pas l'effet escompté. Les meilleurs systèmes d'encadrement disciplinaire visent à limiter le besoin de sanctions et de conséquences en mettant l'accent sur la prévention. Développer des relations élèves-enseignants positives, établir des attentes clairement définies quant aux comportements acceptables et utiliser des habiletés de gestion des comportements représentent des approches efficaces de prévention, mais elles sont parfois insuffisantes pour assurer le bon comportement des élèves.

Quand les élèves se comportent de manière inappropriée, les enseignants peuvent appliquer une variété de conséquences, comme des avertissements, des rencontres d'élèves, des rencontres de parents et des retenues sur l'heure du midi ou après l'école. Ces sanctions sont utilisées par tous les enseignants de toutes les écoles, car un enseignant peut les appliquer sans le consentement de la direction de l'établissement. Marzano (2003) classe les interventions pouvant être effectuées par l'enseignant en cinq groupes :

- *La réaction de l'enseignant :* les comportements verbaux et physiques des enseignants indiquant aux élèves si leurs comportements sont appropriés ou non.

- *La reconnaissance concrète :* les stratégies faisant en sorte que les élèves reçoivent un symbole quelconque ou un jeton pour un comportement approprié.

- *Le coût direct :* les interventions qui impliquent une conséquence concrète et immédiate à la suite d'un comportement inadéquat.

- *La cohérence dans le groupe :* un groupe donné d'élèves qui doivent répondre à une exigence particulière ou adopter un comportement approprié.

- *La cohérence avec la maison :* le suivi du comportement qui a lieu au domicile de l'élève.

Malheureusement, même si ces interventions sont essentielles et nécessaires, elles n'offrent pas toujours aux enseignants la diversité, l'efficacité ou le caractère d'immédiateté que peuvent fournir les réseaux de soutien de l'établissement. Il est important que les enseignants aient le pouvoir de choisir parmi une variété de stratégies en ce qui concerne la discipline des élèves. Pour s'assurer que les enseignants ont à leur portée une variété de conséquences efficaces et significatives pour enrayer les comportements inappropriés, la direction et le personnel de l'école doivent collaborer en vue de concevoir des réseaux de soutien dans l'établissement. Les conséquences qui dépendent des réseaux de soutien de l'établissement comprennent le retrait de la classe, les retenues sur l'heure du midi, les retenues après l'école, les retenues du vendredi et les signalements à la direction. Nous aborderons ces conséquences dans la prochaine partie.

Des questions de réflexion — première partie

1. Quels sont les éléments constitutifs d'un système d'encadrement disciplinaire ?

2. Sur quels éléments vous appuyez-vous le plus ? Quels éléments aimeriez-vous ajouter à vos outils de gestion des comportements des élèves en classe ? Si cela exige de modifier votre style, comment parviendrez-vous à vous adapter ?

3. En revoyant chaque élément lié à la discipline, quelles stratégies souhaiteriez-vous intégrer à votre répertoire ?

4. Quels sont les concepts les plus importants que vous avez appris dans cette partie ?

La discipline à l'échelle de l'établissement

Partie 2

Il existe une forte relation entre la discipline en classe et la discipline à l'échelle de l'établissement. En fait, la discipline en classe est celle qui détermine la discipline appliquée dans l'ensemble de l'établissement, car les élèves passent la plus grande partie de leur journée dans la classe et transposent ce bagage de règles à l'extérieur de la classe. Marzano (2003) affirme que la discipline à l'intérieur de l'établissement est aussi importante que la gestion de la classe et qu'elle peut même contribuer de façon significative au bon climat de l'école.

Les stratégies nécessaires pour établir et maintenir un environnement ordonné et structuré dans l'ensemble de l'établissement sont les mêmes que celles utilisées en classe. De plus, les attentes quant aux comportements des élèves dans l'établissement devraient correspondre à celles définies pour la classe.

L'établissement et le maintien d'un environnement ordonné et structuré sont aussi importants à l'extérieur de la classe qu'à l'intérieur de celle-ci. Les membres du personnel devraient s'engager à appliquer des stratégies de gestion des comportements qui assureront un bon fonctionnement et le maintien de l'ordre dans tout l'établissement (corridors, bureaux, terrain, zone réservée aux autobus, etc.). Dans cette partie, nous nous efforcerons de nous concentrer sur la création d'un environnement structuré dans l'établissement grâce à une approche systémique. Des stratégies précises pour y parvenir vous seront aussi expliquées.

Le personnel doit travailler en collaboration afin de concevoir des systèmes d'encadrement disciplinaire comportant des conséquences qui seront diversifiées, immédiates, significatives et faciles à appliquer. Bien qu'établir un tel système dans l'ensemble de l'établissement nécessite au départ beaucoup de coordination et de coopération, sa mise en œuvre permettra aux enseignants de gérer les comportements inappropriés des élèves; le temps d'apprentissage sera ainsi optimisé.

La conception de systèmes d'encadrement disciplinaire à l'échelle d'un établissement tire son origine de certains fondements philosophiques.